1577

**Santa Teresa de Jesús
y San Juan de la Cruz**

MANUEL LÓPEZ PÉREZ
NURIA GALACHE SÁNCHEZ

Santa Teresa de Jesús
y San Juan de la Cruz

Diputación de Salamanca
2015

Ediciones de la Diputación de Salamanca
Serie Lengua y Literatura, n.º 35

© Diputación de Salamanca
© Del texto: Nuria Galache Sánchez y Manuel López Pérez
© Del prólogo: Pollux Hernúñez

Imágenes de cubierta:
Éxtasis de Santa Teresa de Bernini
Manzano de San Juan de la Cruz de Venancio Blanco

Última de cubierta:
Fotografía Coyote Producciones

e-mail: ediciones@lasalina.es
www.lasalina.es

ISBN: 978-84-7797-482-6
Depósito Legal: S. 384-2015

Imprime   Gráficas Lope
           Salamanca

Prólogo

Teresa y Juan

> Ver que un muladar tan sucio y de mal olor
> hiciese huerto de tan suaves flores.
>
> *Libro de la vida*

Si supiéramos a qué edad se acarició Teresa de Cepeda por primera, o por última vez —si no fueron la misma—, tal vez entenderíamos mejor la aventura humana de aquella mujer que tanto amó, luchó, consiguió y, sobre todo, sufrió. Pero esas intimidades, tan importantes en la vida de las personas, se obvian como si no existieran, como si no significaran nada, como si la arrolladora energía de aquella monja no se hubiera domeñado —o potenciado—, con ellas más que con sus enfermedades, oraciones y disciplinas. La primera que las obvia es ella misma, pues, a pesar de considerarse la más ruin pecadora del género humano, lo que permitiría imaginarla capaz de cualquier desmán, jamás se atrevió a descender a tales detalles. (Y eso que se movió entre expertos en la materia, pues —por simple inferencia estadística— cabe suponer que conocían la voluptuosidad solitaria mejor que el resto de la población). Pero el tétrico siglo en el que le tocó vivir no estaba para tales bollos.

Teresa de Jesús es un Alonso Quijano hembra: muy loco hay que estar para osar entrar en el atroz siglo del Lazarillo, y más aún en el sórdido de la clerecía, con el propósito de cambiarlo y con no muchos más medios ni menos bríos que el orate manchego. Algún día se explicará quizá que la sátira del gran manco es más sutil de lo que se ha venido diciendo: que la inefable Dulcinea representa una divinidad tan suprema como ilusoria y que los encantadores quijotiles no son sino el trasunto de la caterva de charlatanes y logreros de sotana de toda laya, color y olor que, blandiendo el espantajo del demonio, armados de cruces mila-

5

greras y travestidos de taumaturgos, se arrogaban sobrehumanos poderes para mandar, amedrentar, exprimir, perdonar, condenar e incluso destruir, preferiblemente por el fuego purificador, al prójimo inerme e ignorante hipnotizado con sus infundios.

Lo que no necesita mucha exégesis es que la aventura de Teresa contra todos los molinos de viento imaginables, es devastadora, pues le supone consumir las energías de su vida entera para enfrentarse a una legión de endriagos humanos, al encantador máximo que es Satanás y, sobre todo, a sí misma. Menos mal que su Dulcinea, la entelequia suprema, «Su Majestad», como la llama, resplandece entre nubes, la alienta, la fortalece y nunca la abandona. Su gran obsesión fundadora es una locura permanente y solo puede explicarse por una herida profunda: su inmarcesible voluntad de borrar un pasado inasumible, una rebelión radical contra una herencia aborrecida. Sabido es que en su época el pueblo que asesinó a Cristo era considerado despreciable e impuro, y que en consecuencia el origen converso de la familia de Teresa le había costado a su abuelo toledano en 1485 un proceso y la humillación de un paseíllo por las iglesias de la ciudad siete viernes seguidos luciendo un sambenito. La ignominia de la ascendencia hebrea era insoportable para la nieta, que quemó su vida tratando de librarse de ella, demostrando a los demás y a sí misma que era más cristiana en las obras que muchos en el nombre. Hay en esto un tanto de pundonor o incluso de ingenua soberbia que conmueve. Y algo intrínsecamente dramático, si no sencillamente trágico en esta mujer. Por eso resultan patéticas sus últimas palabras, «Al fin muero hija de la Iglesia», una Iglesia que la ha devorado, que la ha utilizado, que a punto ha estado de quemarla, y que, *post mortem*, la descuartiza, la canibaliza, la mitifica, la envuelve en papel de celofán (¡«doctora de la Iglesia»!) y la sigue agitando como señuelo para atraer a incautas doncellas y filólogos confiados. *Tantum potuit religio.*

Si, como pensaba Borges, la teología es uno de los subgéneros de la literatura fantástica, ¿qué decir de la mística? Una cosa es la literatura que produjo —las más de las veces árida e insulsa por monotemática, otras arrebatadoramente sublime—, y otra cosa la fuerza que la inspiraba: la culpa, el pecado, el demonio. Triste es constatar que, en tiempos en los que florece la liberación del hombre en esa formidable eclosión ética y estética que se llama Renacimiento, se produce en este país, azuzada por el revisionismo contrarreformista, una involución medievalizante en la que el integrismo más retrógrado se inocula en las almas mediante el miedo al demonio. Se aterroriza a la gente, medran todo tipo de sectas clericales y no sorprende que los individuos más sensibles, crédulos y puros entren en la lógica diabólica de la autonegación: el cuerpo es un obstáculo para llegar a la ansiada unión con Dulcinea y hay que maltratarlo (la «vía purgativa») mediante mortificaciones, latigazos y privaciones. El resultado de tales autolesiones es un tremendo choque de la menguada conciencia y sus obsesiones con los desquiciados sentidos, que mezclan lo que perciben en un delirio fulgurante (el éxtasis) que, cuando cesa, deja una sensación de bienestar y una delectación masoquista en el sufrimiento. Los supervivientes de Guantánamo y de infiernos similares conocen bien el mecanismo y sus secuelas. Recordemos cómo describe Teresa su transverberación:

«Veía un ángel cabe mí hacia el lado izquierdo en forma corporal […] no era grande, sino pequeño; hermoso mucho, el rostro tan encendido que parecía de los ángeles muy subidos […] Veíale en las manos un dardo de oro largo, y al fin del hierro me parecía tener un poco de fuego. Este me parecía meter por el corazón algunas veces, y que me llegaba a las entrañas. Al sacarle me parecía las llevaba consigo, y me dejaba toda abrasada en amor grande de Dios. Era grande el dolor que me hacía dar aquellos quejidos, y tan excesiva la suavidad que me pone este grandísimo dolor, que no hay desear que se quite, ni se contenta el alma con menos que Dios. No es dolor corporal sino espiritual, aunque no deja de participar el cuerpo algo, y aun harto». Y tras el éxtasis: «De este recogimiento viene algunas veces una quietud y paz interior muy regalada, que está el alma que le parece que no le falta nada».

Aparte del cuestionable ergotismo, en aquella época la inspiración creativa no conocía más sustancias psicotrópicas que el tradicional vino horaciano, pero el delirio del éxtasis es muy superior: la enajenación es total, como la de un gran orgasmo, inconsciente quizá, como sugiere Lacan, pero orgasmo, ese que tan espectacularmente plasmó Bernini en su fenomenal interpretación barroca de la transverberación de nuestra monja. En nombre de paraísos artificiales el camino de perfección es una negación rigorista de las más elementales pulsiones del ser humano, que no puede no dejar huella en la persona. Para justificarlo se invoca como salvoconducto universal el amor, nunca carnal, pues el morboso vicio de Eros es siempre demoníaco. Pero una mujer hipersensible como Teresa, que se excita hasta el llanto ante la imagen desnuda de un crucificado, ¿no iba a desear, sentir, vivir intensamente la unión con Dulcinea, es decir el divino coito, todo lo sublimado que se quiera, pero coito, tras haber preparado su cuerpo con todo tipo de mortificaciones?

Hay muchas razones para admirar a Teresa, o al menos para compadecerse de ella, sobre todo por mantener hasta el final ese espíritu quijotesco suyo, que si ya era difícil para un hombre en tal siglo, ¿qué para una mujer entre machos cerriles, burros con sayas y doctores iluminados? Como todo buen revolucionario («o sufrir o morir» fue su lema), jugó con la muerte y a punto estuvo de lograrla en la hoguera, como una bruja cualquiera. He aquí el veredicto del censor de su primer escrito, la *Vida*, en 1565: «Solo una sola cosa hay en este libro en que poder reparar, y con razón; basta examinarlo muy bien, y es que tiene muchas revelaciones y visiones, las cuales siempre son mucho de temer, especialmente en mujeres, que son más fáciles en creer que son de Dios y en poner en ellas la santidad». Menos mal que añadía: «De una cosa estoy yo bien cierto de cuanto humanamente puede ser: que ella no es engañadora».

No, era sincera, entrañablemente sincera. Y unamunianamente sentidora. Afortunadamente también era más inteligente que la mayoría de los que la rodeaban y supo torear a sus enemigos con el capote del hábito e invocando a una Dulcinea a la que todos decían temer. Sincera, sentidora, inteligente. Aunque de ahí a hacerla precursora del feminismo, como pretenden algunos, cuando es paladín del oscurantismo más añejo, es escarnecer a las mujeres como personas, pues su integrismo primario y regresivo lo que hace es deshumanizarlas. Esto aconsejaba a sus monjitas: «Cuando leyereis algún libro y oyereis sermón, o pensareis en los misterios de nuestra sagrada fe, que lo que buenamente no pudiereis entender, no os canséis ni gastéis el pensamiento en adelgazarlo: no es para mujeres, ni aun para hombres». Su doctrina pretende aislarlas de amigos y parientes (hay que «apartarlos de la memoria lo más que podamos»); hacer que renuncien a lo más femenino en la mujer, la maternidad; aherrojarlas en la horma de su rígida disciplina; envolverlas en la perversión de un lenguaje orwelliano que entre gente castrada suena a chanza si no fuera patético: «madre», «padre», «hermana», «esposa de Cristo». Naturalmente, es por todo esto por lo que se la canonizó.

Pero lo fascinante de Teresa es, no su faceta visionaria (hasta a Arrabal se le ha aparecido la Virgen), o sus orgasmos celestiales, o su asombrosa capacidad para convencer y hacer prosélitos, sino su lucha existencial y su tenaz vitalidad para realizarse contra todo y contra todos. A pesar de su precaria salud y los mil obstáculos que fue encontrando, consiguió hacer su santa voluntad.

Entre los prosélitos que atrajo figura señeramente Juan de la Cruz, que la acompañó en la empresa de reformar el Carmelo fundando conventos y ejerciendo de confesor en algunos de ellos. También nieto de conversos, huérfano, reformador, visionario, asceta («niega tus deseos»), fundamentalista, víctima de la caridad cristiana de sus propios correligionarios, no era, sin embargo, un simple reflejo de ella. A pesar de ser 27 años más joven, su estrecha relación con Teresa se explica no solo por lo que tenían en común y por la admiración que un hombre tan sensible tenía por una mujer carismática como ella, sino por el ideal que compartían. Pero eran bien distintos. Poco fogoso, paciente, discreto, más inclinado a la vida retirada —estuvo a punto de hacerse cartujo— que a las alharacas y a las luchas de poder, fue sobre todo excelso poeta. Lo suyo es la introspección y la belleza de expresarla. Parece más débil, ella más fuerte. Es introvertido, ella extrovertida. Tiene una formación académica, ella no (por lo que lo llama «pequeño Séneca»). Ella es su maestra, él su confesor. Si ella se busca en todo lo que la rodea, él observa su interior y trata de explicarlo mediante la palabra, una palabra sobria, pura, musical, tan arrobadora como sus visiones. Los unió la lucha y el mucho sufrimiento consiguiente.

Estos complejos y complementarios personajes son los que Manuel López y Nuria Galache juntan en una noche oscura para que nos revelen sus vivencias y sentires. Sin pretensiones, usando a veces los propios escritos de Teresa y Juan, construyen un diálogo nocturno vivo e intenso en el que los dos amigos abren su corazón en un momento crucial de sus vidas. En este cálido intercambio de recuerdos, inquietudes y afectos que un final violento va a interrumpir, ella lleva la voz cantante, él permanece a la defensiva, lo cual los caracteriza perfectamente como el hijo y madre que no son: él tiene miedo, ella le conforta. Hablan de amor y hacen el amor: un amor que no tiene nada de carnal, aunque la escena en la que ella se arrodilla y amorosamente lava los pies destrozados del pobre fraile tiene una carga erótica más fuerte que si se revolcaran. El lavado de pies, la confesión y el prendimiento final evocan cuadros de la pasión, lo que da una dimensión más amplia al drama. Pero el momento culminante es para mí el abrazo callado, cariñoso, maternofilial tras el desvanecimiento visionario de Juan, pues resume de manera sencilla, vibrante y expresiva todo lo que los une y van a perder.

Los esbirros prenden a Juan y se lo llevan preso: en la celda compondrá el *Cántico espiritual*, mientras Teresa vuelve a lo suyo: se desnuda la espalda y empieza a acariciarse. A latigazos.

Pollux Hernúñez

Por nuestra amistad.
Por la constancia,
por la lucha hasta el final.
A la memoria de Manolo.

Personajes

TERESA DE JESUS

JUAN DE LA CRUZ

FRAILE

HOMBRE ARMADO 1

HOMBRE ARMADO 2

ACTO ÚNICO

La acción se desarrolla en una sencilla y austera celda del convento de la Encarnación. Un camastro de paja, un arcón de madera a modo de escribanía. Pluma de oca y tintero junto a unos papeles. Un crucifijo y unas velas o cirios ayudan a recrear la escena de una celda en un convento.

TERESA sentada en el suelo con la pluma en la mano y unos papeles mientras una voz femenina en off recita la parte final de Las Moradas.

OFF.– Por el gran deseo que tengo de ser alguna parte para ayudaros a servir a este mi Dios y Señor, os pido que en mi nombre, cada vez que leyereis aquí, alabéis mucho a Su Majestad y le pidáis el aumento de su Iglesia y luz para los luteranos; y para mí, que me perdone mis pecados y me saque del purgatorio, que allá estaré quizá, por la misericordia de Dios, cuando esto se os diere a leer si estuviere para que se vea, después de visto de letrados.

Y si algo estuviere en error, es por más no lo entender, y en todo me sujeto a lo que tiene la santa Iglesia Católica Romana, que en esto vivo y protesto y prometo vivir y morir. Sea Dios nuestro Señor por siempre alabado y bendito, amén, amén.

Acabose esto de escribir en el monasterio de San José de Ávila, año de 1577, víspera de San Andrés, para gloria de Dios, que vive y reina por siempre jamás, amén.

Se rompe bruscamente el silencio con golpes en la puerta.

JUAN.– *(Voz detrás de la puerta.)* ¡Ave María!

TERESA.– ¡Por Dios! ¿Quién va?

JUAN.– ¡Abra! Soy yo. Juan de la Cruz. Presto, Vuestra Reverencia.

TERESA.– Padre Juan, ¿a esta hora? Envuelto en el manto negro de la noche cual bandido perseguido. ¡Mal agüero! Por favor, Padre, entre y cálmese. ¿Qué nuevas le traen a mi presencia, a sabiendas del peligro que conlleva?

JUAN.– *(Entrando en la celda con papeles en la mano.)* Disculpe, Madre. Pero no temo el peligro aquí dentro sino el que la suerte me ha deparado esta aciaga noche.

TERESA.– ¿Qué ocurre? ¿Qué teme? Aquí está a salvo, Padre. Aquí puede estar tranquilo. Las paredes de este monasterio no solo resguardan la comunidad del mundo de modo que la paz, la oración y la santidad puedan florecer, sino también están colocadas como torres de una fortaleza donde una guerra espiritual se hace contra el pecado y el mal. Pero explíqueme, veo el miedo en sus ojos…

JUAN.– Sí. Miedo. Lo he visto. He visto cómo entraban en mi casa y han detenido a mi compañero.

TERESA.– ¿Quién ha cometido tal osadía?

JUAN.– Sucedió todo de forma rápida, en la oscuridad todo eran sombras, había un fraile, que por cierto no alcancé a reconocer, y varios hombres armados,

TERESA.– Sabíamos que esto ocurriría.

JUAN.– Sí, ahora me persiguen, creo que existe la posibilidad de que acudan al convento. Pero no tenía a donde acudir, madre.

TERESA.– Juan de la Cruz, puede estar tranquilo. Junto a mí. Pero cuente cómo se ha llegado a este extremo.

JUAN.– Hace tiempo recibí un mensajero. Debía personarme en Medina del Campo y abandonar la Encarnación. Órdenes del nuncio. Según parece su intención es eliminar a todos los confesores y apartarlos de su camino en la renovación de la Orden.

TERESA.– En mi estancia en Toledo pude atisbar ciertos murmullos que hablaban de esa posibilidad, pero nunca creí que fuera cierto que acabaran acatando tal orden. Diga, Padre, ¿qué pasó entonces?

JUAN.– Me negué a ello. Alegué que tenía el favor del Santísimo Padre para permanecer en mi puesto.

TERESA.– ¿Por qué? Eso es mentira…, es una excusa.

JUAN.– En cierto modo sí, pero mi verdadera intención es permanecer aquí. Llevo varios años y encuentro la paz y el recogimiento que busco. Durante este tiempo me he dedicado a reflexionar, a pensar, a escribir. (*Mirando los documentos.*) Aquí tengo mis reflexiones de estos años, pero ahora pueden ser mi perdición. Por eso le pido que me ayude a deshacerme de ellos.

TERESA.– Pero…

JUAN.– No, no hay otra solución. Me buscan ciertamente y no pararán hasta encontrar pruebas para delatarme. Por ello es necesario que todos estos ríos de tinta se desborden y desaparezcan.

(*Teresa coge los papeles y los encierra en el arcón.*)

TERESA.– ¿Qué piensa hacer ahora Su Reverencia?

JUAN.– No lo sé. A su lado me encuentro seguro.

TERESA.– Pero esa no es solución, Padre. No puede estar aquí escondido. Debe entregarse.

JUAN.– ¿Entregarme? Perdone, pero no sabe lo que dice. Tan cierto como que es de noche que si me encuentran me encerrarán y me castigarán por mi insolencia.

TERESA.– En la vida debemos asumir nuestras responsabilidades.

JUAN.– Eso es lo malo. Reconozco que esta situación llegaría tarde o temprano. Y ha llegado, no sé lo que hago. Huyo, como un cobarde. Pero no huyo por miedo.

TERESA.– ¿Entonces, por qué?

JUAN.– No lo sé. Hay algo que me apega a este convento. Algo que me impide abandonar, algo que me obliga a desacatar órdenes de las más altas esferas.

TERESA.– Fuerte es lo que dice, pero incluso a mí me persiguen y han impedido hace unos días que fuera nombrada priora de este convento.

JUAN.– Las lenguas hablan que todas las hermanas estaban de acuerdo en que Vuestra Merced saliera elegida.

TERESA.– Todas no. Tan solo 54 hermanas, ¡benditas sean ellas!

JUAN.– Pero ese número es la mayoría ¿Qué ocurrió entonces?

TERESA.– En verdad, ese era el deseo de todas, pero anularon la votación y expulsaron de la orden a todas aquellas hermanas que me fueron fieles.

JUAN.– Eso es ilegal y Vuestra Merced lo sabe, Madre.

TERESA.– Vuestra Merced y yo sabemos en qué mundo vivimos y en qué momento se encuentra nuestra orden. Las 54 hermanas que me defendían fueron obligadas a abandonar, incluso he oído que se llegó a la excomunión.

JUAN.– Madre, ¿qué vamos a hacer si eso es cierto? Vienen a por nosotros. Ahora me siento confuso. Vine para buscar socorro y me encuentro que no se puede hacer nada ante esta presión.

TERESA.– Mucho me temo que no. Nuestras armas en esta lucha son la oración y la pluma. (*Mirando hacia donde había escondido los papeles que le entregó JUAN.*) Tarde o temprano triunfaremos, mi pequeño Séneca, ¡lo sé, lo presiento! Los cuervos se apoderaron de mi libro, pero no me quitaron la mano con la que lo escribí. Juan, Dios ha querido que seamos sus peones en este juego y así debemos acatarlo.

JUAN.–Quizás tenga razón.

TERESA.– La tengo, confíe en mí. Esto cambiará y podremos dedicarnos a nuestros deberes de oración y recogimiento. Se lo aseguro.

JUAN.– Es posible que deba aceptar mi destino.

TERESA.– Es lo más razonable.

JUAN.– ¡Oh, dichosa ventura!

TERESA.– Las pruebas más duras nos hacen más humildes y más fuertes a la vez.

JUAN.– La admiro, en verdad el espíritu de Dios la guía, Vuestra Reverencia.

TERESA.– El Señor me ha enviado aquí mediante la voz de la obediencia, a desempeñar un oficio que yo jamás había imaginado.

JUAN.– Y Vuestra Reverencia sabe cómo cumplir perfectamente su misión. Por eso busco consejo.

TERESA.– No hay más consejo que la pura evidencia. Hemos puesto el dedo en la llaga y vamos a pagar por ello. Los carmelitas en Italia ven con malos ojos nuestra reforma, al igual que los que no son nuestros seguidores aquí en nuestra tierra. Parece que la humildad y la sencillez de repente se han convertido en un pecado: no sabemos amar, el egoísmo se ha apoderado de las mentes de muchos mortales, personajes poderosos que temen a la sencillez, a andar descalzos por la vida. Ese es, y no otro, el delito que hemos cometido, Padre Juan.

JUAN.– Pero, madre…

TERESA.– Le repito, ese es y no otro, el delito que hemos cometido.

JUAN.– Yo no lo veo así, cuando iniciamos este camino juntos no lo hacíamos con intención de cambiar la Orden…

TERESA.– ¡O modernizarla!

JUAN.– Modernizarla cierto es que así nos lo han definido, pero no era esa nuestra intención, madre (*Mirando a la cara a TERESA.*), sabe bien que lo hacíamos para restaurar y revitalizar su cometido original.

TERESA.–¿Y cuál era ese cometido?

JUAN.– (*Resignado, apartando la vista de TERESA.*) Únicamente queríamos inspirar a los religiosos el espíritu de soledad y humildad. Pero Dios (*Levantando la mirada hacia el cielo.*) quiere purificar nuestro corazón de toda debilidad y apego humanos (*Bajando la mirada.*); creo que es por eso por lo que nos somete a las más severas pruebas interiores y exteriores.

TERESA.–Así es, padre. Y no debemos desfallecer en el intento.

JUAN.– A su lado, todo parece tan fácil. No soy tan fuerte como Vuestra Reverencia.

TERESA.– ¡Claro que sí!

JUAN.– ¡No! Una gran losa aplasta mi cabeza

TERESA.– No se trata de una losa, es Nuestro Padre: Dios está poniéndole a prueba.

JUAN.– Terrible es saber que la presa no pueda escapar del cazador. (*Se aparta de TERESA.*) ¡Oh, Dios Nuestro Señor!, dame fuerzas, evita que tu siervo desfallezca. Fuera me persiguen las aves nocturnas, huyo y me adentro en esta cueva donde mis sentimientos estallan de pasión. Perdóname Señor, pero esta pasión me ciega y no alcanzo a vislumbrar el verdadero camino. Mi vida la pongo en tus manos, ahora solo soy un humilde y sencillo servidor. Pero duro es el castigo infligido, desconozco si mi delicado cuerpo logrará superarlo o no. Solo tú, Señor, conoces mis designios; solo tú, Señor, sabes lo que nos aguarda en el futuro; solo tú, Señor, posees la verdad. Presiento que es el último día. Que no me vean caído, Señor, muerto por dentro, pero de pie, como un árbol. Pasa de mí este vaso, Señor, y hágase tu voluntad y no la mía. Múdese todo muy enhorabuena, Señor Dios, porque hagamos asiento en ti.

TERESA.– (*Acercándose a JUAN le pone la mano en el hombro.*) No desespere, Padre Juan: lo importante es que dos humildes personas como Vuestra Paternidad y yo, seamos capaces de poner en jaque a todo un imperio. Vuestra Paternidad y yo, solos, como dos locos caballeros andantes hacia la aventura.

JUAN.–Quisiera creerla madre, pero no logro sujetar el pánico, el miedo se ha apoderado de mi cuerpo y no veo las cosas tan claras como Vuestra Reverencia.

TERESA.– Un hombre ha de levantarse ante las adversidades…

JUAN.– (*Le retira el brazo con un fuerte gesto.*) Pero, ¿por qué nosotros?

TERESA.–Ambos tenemos reservados bellos renglones en la historia de la Orden. No he fundado conventos, no he recorrido cientos de leguas en carreta, incluso a pie, no me he enfrentado a personajes importantes, y no he malgastado mi vida por nada. Se lo aseguro.

JUAN.– Madre…

TERESA.– ¿Qué?

JUAN.– Perdone, el miedo me ha cegado. Confió en mí y no la pienso defraudar.

TERESA.– Así me gusta, Juan, si le escogí fue por algo y creo que nunca me he equivocado.

JUAN.– Sin embargo, en estos momentos estoy poniéndola en apuros y es probable que esos quienes me persiguen se presenten en cualquier momento.

TERESA.– No lo creo; aquí estará Vuestra Merced a salvo hasta que se hayan calmado las aguas revueltas. Al alba, la luz del día nos irá abriendo paso hacia una solución a este problema, entonces… veremos qué se puede hacer. Tengo mis contactos y conoce bien que Su Majestad está con nosotros, y podría ayudarle.

JUAN.– Nunca fue nuestra intención que esto se convirtiera en una lucha de poderes, ¿verdad?

TERESA.– En cierta medida, Padre, pero corren malos tiempos y los conflictos no hacen más que aflorar a la superficie.

JUAN.– Me siento más calmado, cuando escucho su sinceridad y su poderosa convicción: me envuelven y ahora mismo en mi cabeza no hago otra cosa que pensar en que todo esto no es más que una pesadilla.

TERESA.– Pero no es una pesadilla, es la realidad. Y debemos enfrentarnos a ella, luchar, orar para que Dios interceda y nos conduzca hacia la victoria. Dios nos ha puesto en este camino y es quien nos guiará hasta el final. Padre, no es débil, es fuerte, y lo ha demostrado mediante sus actos. Durante estos años he confiado en Vuestra Merced y ahora confío más que nunca y estoy segura de que ninguna penalidad le apartará de la verdad y del camino recto.

JUAN.– ¡Cuánto me gustaría creerla!

TERESA.– Pues, ¡créame!

JUAN.– No es tan sencillo.

TERESA.– ¿Por qué?

JUAN.– ¡Ay! ¿Quien podrá sanarme...?

TERESA.– El amor.

JUAN.– Pero el amor también duele.

TERESA.– Sí, pero purifica el alma. Amor hacia nuestros semejantes, el amor hacia nuestro enemigo, el amor a Dios Padre, nuestro Amado.

JUAN.– ¡No siga! Por piedad, amor es lo que llevo en mis entrañas y ese amor me corroe el interior. Ese amor del que me habla es el amor que a mí me debilita, es el amor que me hace sucumbir, es el amor que hace que peque en mi pensamiento.

TERESA.– Pecar, ¿por qué razón?

JUAN.– Por amar al prójimo.

TERESA.– Eso no es malo.

JUAN.– Por amar a la naturaleza.

TERESA.– Eso es bello.

JUAN.– Por amar a mi enemigo.

TERESA.– Eso es honorable.

JUAN.– Por amar a Dios.

TERESA.– Eso es grandioso.

JUAN.– Por amar… (*Mirando hacia el suelo en estado de arrepentimiento.*)

TERESA.– Siga, Padre.

JUAN.– Por amar a Vuestra Merced.

TERESA.– (*Hace una pausa pero no parece muy sorprendida, se dirige a JUAN.*) Eso no es malo, mi pequeño Séneca, yo también amo a Vuestra Merced.

JUAN.– (*Mirando a la cara a TERESA.*) ¿No tiene Vuestra Merced miedo?

TERESA.– ¡Claro que lo tengo!

JUAN.– Su fortaleza no da signos de flaqueza.

TERESA.– En gran medida, así es, Padre, pero por dentro también estoy asustada. (*Deja de mirarle y le da la espalda.*) Ya no soy tan joven y siempre me han flaqueado las fuerzas. Pero poseo un arma muy poderosa, un arma que me da la seguridad ante los temores que me rodean.

JUAN.– ¿Podría saber cuál es esa arma?

TERESA.– Piense, Vuestra Merced, piense… pues también la posee. Se trata de Dios nuestro Señor. Nuestra misión es hacer su voluntad aquí en la tierra y él se encargará de protegernos ante cualquier mal. Sepa que ahora mismo mi situación no es más distinta que la suya: por un lado tengo al Alto Tribunal de la Inquisición, leyendo letra a letra mis escritos, buscando evidencias para culparme y por otro cabe la posibilidad de que haya de partir hacia las Indias.

JUAN.– Pero el Tribunal ya no tiene tanto poder, los autos de fe han desaparecido prácticamente y Vuestra Merced no tiene nada que ocultar en sus escritos.

TERESA.– Es verdad lo que dice, Padre, pero los cuervos aún pueden hacer daño a quienes no piensan como ellos. Ellos están aquí para velar por que se cumplan las leyes de Dios.

JUAN.– Pero, Madre, su carrera es intachable, tiene un gran peso en la Orden. No es justo.

TERESA.– Para la Inquisición todos somos iguales ante la ley. Y, si no, acuérdese de Su Reverencia el Arzobispo Carranza. No tuvieron piedad y su cuerpo terminó en una oscura celda durante largos años.

JUAN.– (*Paseando cabizbajo tras una pausa.*) ¿Madre?

TERESA.– ¿Sí?

JUAN.– Cuando comentó su partida a las Indias, ¿hablaba en serio?

TERESA.– Cabe la posibilidad. Directamente no me lo han hecho saber, pero conocemos perfectamente que para los gatos y las cigarras soy un estorbo.

JUAN.– ¿Qué haría yo sin Vuestra Reverencia? Ante la posibilidad de verme alejado de Vuestra Merced, mi congoja en esta tenebrosa noche se acentúa más y más.

TERESA.– Eso no ocurrirá, Juan. Tengo pensado hacer una visita a la corte. Su Majestad Felipe II siempre ha estado con nosotros, confío en su poder y en su piedad.

JUAN.– Buena decisión es esa.

TERESA.– Es mi última esperanza terrenal. Como ve, Padre, mi situación no es peor que la suya.

JUAN.– Gracias, pero presiento que tras la noche llegará una noche más larga. (*Mirando hacia arriba recorriendo todo el escenario con la mirada.*) Escuche…

TERESA.– No oigo nada

JUAN.– Eso es. La música callada, una música que tranquiliza el alma; desearía que este instante se plasmara en un lienzo y quedara atrapado para la eternidad. Ahora no tengo miedo, estoy junto a Vuestra Reverencia y la música callada es el sonido de nuestras vidas. Siempre callados, ocultando nuestros sentimientos. Pero en nuestro interior, una fuerza se debate entre la pasión y el desenfreno. Una pasión incontrolada y unos pensamientos impuros pero bellos a la vez. No sé si es pecado o no, pero en lo profundo de mi ser solo encuentro paz cuando me entrego a la persona amada y eso es lo que siento en este mismo instante, una paz íntima, un sosiego, un sentimiento nuevo que recorre la profundidad de mi alma infundiéndome un valor inusual, extraño…

TERESA.– No hay nada extraño en sus pensamientos, Juan, a mí me ocurre lo mismo. Con tan buen amigo presente, con tan buen capitán, como así lo ha demostrado, poniéndose primero en el padecer, todo se puede sufrir. ¿Qué mas queremos que un tan buen amigo al lado, que no nos dejará en los trabajos y tribulaciones, como hacen los del mundo? Con libertad se ha de andar en este camino.

JUAN.– En esta noche oscura, salí sin ser notado, sin otra luz ni guía, sino la que en el corazón ardía. Con libertad he andado este camino y con libertad he llegado donde yo bien sabía.

TERESA.– Padre, no debemos arrepentirnos por nuestras acciones ni por nuestros pensamientos.

JUAN.– (*Mirándola a la cara.*) ¿Cómo no voy a arrepentirme, si cuando la miro me estremezco? No temo más a mi enemigo que a la simple idea de perderla.

TERESA.– Nunca me perderá, Juan. Mis sentimientos son recíprocos. Cuando lo vi por primera vez en Medina, el corazón me guiaba en su elección: fue el corazón y no la razón, el culpable de que ahora estemos aquí, solos, mientras ahí fuera en la sombra de la noche las aves nocturnas merodean por los alrededores en busca de su presa. No dejaré que las garras de la sinrazón se apoderen de algo tan valioso. Pero los años me pesan.

JUAN.– No es cierto, Vuestra Reverencia. Su belleza interior se ve reflejada en el rostro, una belleza que atrae, una belleza que encanta, una belleza que simpatiza, una belleza que me acerca hacia ella.

TERESA.– Es muy amable, pero los años me pesan y no cejaré en mi empeño: hay que luchar hasta el final y esto aún no ha acabado, Padre. Ahora debemos estar unidos más que nunca, unidos como dos amantes que se ocultan de su pasión, pero que saben que poseen la verdad y que el ocultarse no significa culpabilidad, más bien es un arma de defensa ante la sinrazón y la injusticia.

JUAN.– ¡Ay! Como dos amantes. Dos amantes que creen en un mismo sueño, que saben que la verdad es su cómplice y su compañero, pero que ante los demás su forma de actuar no es la correcta.

TERESA.– Nosotros actuamos de forma correcta. No hay nada malo en amar y ser amado, amar es ternura, amar es cariño, amar es devoción. ¿Es tan difícil comprenderlo?

JUAN.– Es el mundo quien no lo entiende. Mientras aguardamos ocultos en esta cueva a que el cazador nos dé alcance, afuera existe un universo distinto, un universo que sufre, que padece la miseria; y las enfermedades aún se pasean bajo su manto invisible sobre la población. Las personas no entienden lo que es amar, no tienen tiempo para la oración y el recogimiento. Sus rezos son dirigidos como saetas hacia un demonio que les acosa constantemente. Corren nuevos tiempos, Madre. No solo la Iglesia, sino todos los poderes políticos tiemblan ante las sacudidas de los nuevos descubrimientos y de las nuevas ideas.

TERESA.– Para eso Dios tuvo misericordia conmigo, para tratar con el mundo e infundirle el ánimo a la oración. Temen enfrentarse a Dios, siempre estamos frente al Señor, pero en la oración, los mortales temen que les mire fijamente a los ojos. Nuestra forma de actuar es la correcta, Juan, nosotros no tememos al Señor. Nuestra mente es pura y limpia.

JUAN.– Hay algo que no logro entender.

TERESA.– ¿Qué os aflige?

JUAN.– En mi pecho conviven dos sentimientos, ambos muy profundos: por un lado veo a Vuestra Reverencia, como una madre, mi protectora, mi amparo, mi socorro y mi alivio y por otro camino se desvanece algo poderoso, un deseo, un anhelo, una quimera que batalla por salir de mi interior.

TERESA.– Lo que ocurre, Padre, es que se encuentra cansado. La noche avanza y el tiempo no se detiene. Venga, siéntese (*Juan la acompaña y se sienta en el camastro, TERESA coge un cuenco con agua de una esquina.*)

JUAN.– Madre, ¿qué pretende hacer?

TERESA.– Juan, esas sandalias han caminado por calles llenas de polvo y excrementos. Esto aliviará el cansancio (*Se arrodilla y le quita las sandalias para introducir sus pies en el agua.*)

JUAN.– Vuestra Reverencia: debería ser yo quien hiciera tal honor.

TERESA.– ¡Calle! No diga tonterías. Siempre se ha plegado a mi voluntad y esta noche es mi deseo convertirme en su más humilde servidora. Verá cómo esto le calma. (*Primero introduce el pie izquierdo en el cuenco y, cuando coge el otro pie, el derecho, lo mira antes de introducirlo*) ¡Fray Juan de Santo Matía!

JUAN.– ¿Ocurre algo, Madre?

TERESA.– Pero, ¡hombre de Dios! ¿Ha visto qué herida tiene en la planta del pie? Su aspecto no dice nada bueno.

JUAN.– ¡Ah! se refiere a eso; la tengo desde los tiempos de Duruelo. Fruto de largas jornadas a pie por los caminos de tierra cuando el padre Antonio de Jesús y yo nos acercábamos a predicar a las aldeas próximas al convento.

TERESA.– ¿Se lo ha visto algún médico?

JUAN.– En realidad, no. Apenas me duele y nunca le di la menor importancia. El dolor es una virtud cuando procede del buen hacer y del buen entendimiento. Y era tanta mi ilusión a la hora de acercarme a los aldeanos que apenas padecía sentimiento ni tormento físico alguno.

TERESA.– Pues mal aspecto veo yo en aquesta herida. (*Masajea el pie mientras lo introduce en el cuenco.*) Cuide el pie, Juan, pues los huesos de este cuerpecito han de hacer milagros y temo que infecciones como esta se interpongan en el camino.

JUAN.– (*Suspirando.*) ¡Ay! Cuánto tiempo hacía que no me llamaba Fray Juan de Santo Matía, Madre.

TERESA.– Ya va para diez años.

JUAN.– ¿Diez años han pasado?

TERESA.– Casi diez años desde nuestro primer encuentro. (*Mientras le lava los pies.*) Recuerdo perfectamente aquel fraile que vino a verme, allá en Medina del Campo, un fraile asustado, un fraile amedrentado, un fraile intimidado.

JUAN.– No era fácil, se hablaban maravillas de Vuestra Merced y desconocía qué podía ofrecer un insignificante fraile como yo.

TERESA.– Si ordené que viniera a verme era porque tenía esperanzas de encontrar lo que realmente estaba buscando (*Levanta la mirada hacia la cara de Juan*).

JUAN.– ¿Y lo encontró?

TERESA.– Bien sabe Vuestra Merced que sí. Antes he dicho que mi elección fue con el corazón y mi corazón nunca se equivoca. (*Tras una pausa vuelve a bajar la mirada hacia el cuenco donde le sigue lavando los pies.*) Realmente era lo que buscaba: me habían hablado de Vuestra Merced como de una persona intelectual, dialéctica y de gran formación escolástica y humanística.

JUAN.– Buena, culpa de ello tuvo la Universidad de Salamanca. Allí me forjé y de allí emprendí mi gran viaje espiritual.

TERESA.– Justo la persona que necesitaba. El padre Gregorio Fernández, el provincial, hacía tiempo que me había dado su buenaventura para la fundación de conventos masculinos, pero no hallaba la persona adecuada; entonces mis huesos fueron a parar a Medina y allí tuve la suerte de que me hablaran de Vuestra Merced y así pude conocerle. Nada más verle supe con toda seguridad que mi búsqueda había terminado.

JUAN.– Y así fue cómo el padre Heredia y yo terminamos en aquella pequeña hacienda de Duruelo. En verdad no éramos gran cosa y el convento estaba apartado de la mano de Dios. Poca simiente para una cosecha provechosa como era su reforma.

TERESA.– ¡Así es! En cambio tenía más de lo que necesitaba. Tenía un fraile y medio...

JUAN.– (*Le coge la cara y la mira fijamente.*) Y yo, ¿cuál era, Madre? ¿El fraile o el medio?

TERESA.– Me gustaría que lo adivinara Vuestra Merced mismo (*Tras una pausa TERESA baja la cabeza.*) Estos pies descalzos se han adentrado no solo en pueblos y aldeas, sino que han pisado ese terreno desconocido que llamamos experiencia hasta llegar hoy aquí (*Saca las manos del cuenco.*) ¡Bueno, parece que ya está! Espere un segundo (*Se levanta y se acerca al arcón a coger un paño, vuelve y se arrodilla para secarle los pies.*) Ahora... somos dignos de sentarnos a la mesa del Señor. (*Termina de ponerle las sandalias y al levantarse se sienta junto a JUAN en el camastro.*) Dígame, Padre, ¿no se arrepiente por no haberse ido de cartujo?

JUAN.– En absoluto. Mi vida es todo lo que yo siempre quise.

TERESA.– Pese a los peligros que le aguardan ahí fuera.

JUAN.– Moriría por Vuestra Reverencia si me lo pidierais.

TERESA.– ¿Cree, Padre, que no habremos llegado demasiado lejos?

JUAN.– La noto asustada, temerosa de Dios.

TERESA.– Ya soy vieja.

JUAN.– Ya le he dicho que yo no le veo arrestos de vieja.

TERESA.– Es cierto que la fortaleza y la templanza nunca me han abandonado, pero son los recuerdos, esos bellos recuerdos, los que avivan una llama en mi interior que me alejan de las sombras de la realidad. Remembranzas de aquellos tiempos, cuando comencé las fundaciones, momentos duros pero hermosos; Medina, Salamanca, Valladolid, Malagón, Pastrana, Sevilla, Toledo...

JUAN.– Es mujer de mucha valía; mucho mérito es fundar un convento como lo hizo en Toledo, sin rentas, con apenas cinco ducados...

TERESA.– No me halague tanto, Padre. Teresa y cinco ducados no son nada, pero Dios, Teresa y cinco ducados bastan y sobran.

JUAN.– Gran favor hizo Nuestro Señor, pues yo aún no me creo cómo lo consiguió Vuestra Merced.

TERESA.– Es imposible... tener ánimo para cosas grandes, quien no entiende que está favorecido de Dios.

JUAN.– (*Levantándose del camastro.*) No siga recordando, madre… Mientras la escucho siento un deseo de admiración que me asusta. Los malos pensamientos revolotean cerca de mí tentándome en deseos cual simple mortal.

TERESA.– No os pese por tener en vuestro pensamiento tan grandes deseos y determinación de no caer en pecados veniales, y digo veniales porque de los pecados mortales todos estamos libres aunque no seguros.

JUAN.– ¿Cree que lo que yo siento no es más que fruto de mi naturaleza y como tal no he de tomarlo en consideración de pecados?

TERESA.– (*Levantándose del camastro.*) Permanezca tranquilo, Padre. Hay que procurar siempre mirar las virtudes y cosas buenas que viéremos en los otros y tapar sus defectos con nuestros grandes pecados y tener a todos por mejores que nosotros.

JUAN.– ¡Oh, llama de amor viva, que tiernamente hieres de mi alma en el más profundo centro! (*Mirando a TERESA.*) ¿Qué es realmente amar? ¿Vuestra Merced lo sabe?

TERESA.– Quizás no sabemos qué es amar, y no me espantaré mucho; porque no está en el mayor gusto, sino en la mayor determinación de desear en todo a Dios y procurar en cuanto pudiéremos, no ofenderle.

JUAN.– ¿No le parece que ha de haber cosa imposible a quien ama?

TERESA.– Solo amor es el que da valor a todas las cosas. Por eso le tengo en tan alta estima, Padre.

JUAN.– ¿Siente lo mismo?

TERESA.– Claro que sí; la mejor manera de descubrir si tenemos el amor de Dios es ver si amamos a nuestro prójimo. Juan de la Cruz, Vuestra Merced es algo más que mi prójimo. No hemos llegado hasta aquí sin que el roce y la complicidad germinen en mera amistad. Lo que hay entre vos y yo, yo lo llamaría… actos de amor.

JUAN.– (*Se aparta de TERESA.*) Pero mi pensamiento no hace más que actos de amor, como dice, y no puedo pararlo, sobre todo cuando estoy en tiempo de recogimiento y oración.

TERESA.– De eso se trata: guste hacer siempre muchos actos de amor porque encienden y enternecen el alma. Quien no ama al prójimo no ama al Señor. Para mí la oración es un impulso del corazón, una sencilla mirada al cielo, un grito de agradecimiento y de amor en las penas como en las alegrías.

JUAN.– Visto de esa manera, mi cuerpo rezuma inocencia por todos los poros de la piel. Madre…

TERESA.– ¿Sí?

JUAN.– No la habré molestado con mis palabras, ¿verdad?

TERESA.– (*Se acerca a JUAN muy lentamente.*) Mi estimado Juan, mi apreciado Juan, mi respetado Juan, mi querido Juan, mi amado pequeño Séneca (*Se colocan frente a frente.*) Si no hubieran salido de sus labios esas palabras, le aseguro que hubieran salido de los míos.

JUAN.– ¿Por qué ha tenido que ser esta noche?

TERESA.– Esta noche estamos más cerca del Señor, de nuestro Amado. El manto negro del miedo a la mañana no hace más que abrir la puerta a los sentimientos para sentirnos más libres, más redimidos e independientes.

JUAN.–El recuerdo de los acontecimientos que me trajeron hasta aquí no enturbia este bello momento. Siempre el Señor descubrió los tesoros de su sabiduría a los mortales. He sido agraciado con el mayor de los tesoros. ¿Y se atrevía a preguntarme si me arrepentía de haberme ido a la Cartuja? Me hubiera perdido estos momentos que no olvidaré en la vida, pase lo que pase al despuntar el alba.

TERESA.– No tema el futuro y disfrutemos del presente.

JUAN.– En tanto que el demonio me ataca con violentas tentaciones, los hombres me persiguen con calumnias y Vuestra Merced, Madre, pretende que disfrute del presente (*Da la espalda a TERESA.*) Todo esto es una locura.

TERESA.– No es locura, como tampoco es casualidad que sea mi director espiritual y confesor. Está obrando maravillas aquí, en la Encarnación. El pueblo le tiene por santo, en mi opinión lo es, y lo ha sido siempre.

JUAN.– ¿Dónde ha visto Vuestra Merced a un santo que se pliegue ante las tentaciones?

TERESA.– No exagere, pues consideremos, Padre Juan, aquellos que están en el infierno, que no están con esta conformidad, ni con este contento y gusto que pone Dios en el alma, ni viendo ser ganancioso este padecer, sino que siempre padecen más y más.

JUAN.– Cuanto más alto se sube… tanto menos se entiende, será la tenebrosa nube que la noche esclarece (*Se queda en silencio cabizbajo, cerrando los ojos.*)

TERESA.– (*Se acerca a JUAN viendo que algo sucede.*) Padre, ¿se encuentra bien?

JUAN.– No, no estoy bien.

TERESA.– Dígame, por Dios, ¿qué le ocurre?

JUAN.– Creo que voy a desfallecer (*JUAN cae al suelo desmayado.*)

TERESA.– ¡Padre! ¡Juan de la Cruz! (*Se arrodilla ante el cuerpo de JUAN y lo coge entre sus brazos, el brazo derecho cae inerme*). ¡Está inconsciente! Ha sido culpa mía, yo he sido la culpable de esta situación. He despertado el apetito en este faro luminoso para el ser humano sediento de Dios. Lo he defraudado de tantos placeres que no solo no satisfacen la capacidad infinita de la voluntad, de la facultad de amor y del entendimiento, y de la facultad de entender, sino que lo he matado de sed porque los apetitos desordenados de los sentimientos provocan en las personas que los satisfacen dos males gravísimos. A unos les privan de Dios y a mi pequeño Séneca el alma en donde viven le cansan, atormentan, oscurecen y enflaquecen (*Mira hacia arriba.*) ¡Oh, Padre de bondad, que por la gracia de la adopción nos has hecho hijos de la luz, concédenos vivir fuera de las tinieblas del error, aléjanos de los apetitos y concédenos permanecer siempre en el esplendor de la verdad! (*JUAN comienza a recuperarse.*) Padre Juan, gracias a Dios, parece que vuelve en sí.

JUAN.– Madre Teresa…

TERESA.– Si, estoy aquí.

JUAN.– ¿Qué me ha pasado?

TERESA.– Sufrió un pequeño desmayo, está débil, decaído y lánguido. Debe descansar, ha sido una noche muy dura. (*JUAN se levanta poco a poco de entre los brazos de TERESA; antes de ponerse en pie, ambos se encuentran abrazados frente a frente.*)

JUAN.– Sus brazos son igual que los brazos de una madre, que agarran con la suavidad de no herir a su retoño.

TERESA.– Mi pequeño Séneca, mi naturaleza hacia Vuestra Paternidad me obliga a protegerle y a socorrerle ante cualquier signo de flaqueza (*Se ponen de pie, poco a poco.*) ¿Se encuentra bien?

JUAN.– Seguro, Vuestra Reverencia; la cabeza me duele un poco, pero ya se me ha pasado.

TERESA.– No obstante, siéntese y descanse; lo necesita.

JUAN.– Gracias (*Se acerca al camastro y se sienta, TERESA le observa.*) He tenido una visión extraña.

TERESA.– ¿Y qué visión es esa?

JUAN.– Veía una llama ardiendo dentro de mi cuerpo, una llama delicada pero que embestía con una suave y fuerte gloria que parecía que me iba a dar la vida eterna, y que rompía la tela de mi vida mortal por este dulce encuentro.

TERESA.– De muchas maneras se comunica el Señor al alma con estas apariciones; cada imaginación es visión y por eso no andéis alborotado ni afligido, que gana mucho el demonio y gusta en gran manera de ver afligida e inquieta un alma, porque ve que le es estorbo para emplearse toda en amar y alabar a Dios.

JUAN.– Así lo veo yo, pero esa llama… ¿qué significa esa llama? No es la primera vez que me visita en mi pensamiento y no le encuentro sentido.

TERESA.– Juan de la Cruz, creo que tengo la respuesta.

JUAN.– ¿Cuál es? Por favor, despeje esta duda. He sentido un cauterio suave, una mano blanda, un toque delicado que a vida eterna sabe.

TERESA.– Pienso humildemente que no es más que el Espíritu Santo.

JUAN.– Puede que tenga razón. Lo que no entiendo es que se adentre en las profundidades de mi pensamiento como una nube oscura que nos amenaza con una tormenta.

TERESA.– Ciertamente dice, porque el Espíritu Santo es como un fuerte huracán que hace adelantar más en una hora la navecilla de nuestra alma hacia la santidad que lo que nosotros habíamos conseguido en meses y años remando con nuestras solas fuerzas.

JUAN.– Desde que tomé el hábito con veintiún años en el convento de los Carmelitas en Medina, estas visiones me reciben cada noche.

TERESA.– No deben atosigarle tales pensamientos. He oído hablar de mujeres a las que el demonio había engañado miserablemente con visiones imaginarias, pero yo pienso que no son más que una gracia de Dios para comunicarse con nosotros. Ahora intente descansar, el tiempo pasa y pronto el amanecer traerá consigo los maitines.

JUAN.– Es cierto, pero el tiempo es nuestro enemigo: ahí fuera no hay que olvidar que las aves nocturnas no pararán hasta encontrarme. Debería marcharme de aquí antes de que se vea involucrada.

TERESA.–. No tan rápido, Padre. Ya estoy más que involucrada en el asunto, más de lo que vos y yo queremos.

JUAN.– (*Se levanta del camastro.*) Pero no quiero poner en riesgo a Vuestra Merced ni ser una amenaza para Vuestra Reverencia.

TERESA.– Cuide su voluntad, que yo no me aflijo ante nada y ante nadie. He sufrido graves persecuciones, incluso hubo una época en la que Dios me concedía favores y esto traspasó los muros del convento llegando a oídos ignorantes acusándome de hipocresía y presunción. Ya Su Reverencia Pedro de Alcántara predijo que las persecuciones y sufrimientos seguirían lloviendo sobre mí.

JUAN.– No quisiera formar parte de esos sufrimientos.

TERESA.– Padre, Vuestra Merced no se mueve de aquí. Además estamos en el mismo barco. Tiempo llevaba ya ardiendo este bosque, hasta que por fin se ha visto el humo. El padre Rubio, que tanto me había favorecido, se pasó al enemigo, los reunió en Plasencia y fue allí en donde se aprobaron una serie de decretos en contra de la reforma. El nuevo nuncio Felipe Sega destituyó al padre Gracián de su cargo como visitador de los Carmelitas Descalzos…

JUAN.– Y ahora viene a por mí.

TERESA.– ¡Exacto!

JUAN.– (*Se echa las manos a la cara.*) ¡Oh, Dios mío! No podré salir de esta, si huyo… pierdo lo que más quiero, pero si me entrego… desconozco qué ocurrirá si me entrego, pero nada bueno me aguarda al despuntar el día. Lo presiento.

TERESA.– (*Se le acerca y lo abraza.*) Mi pequeño Séneca, no espere tiempos mejores para apostarlo todo: queme las barcas, descubra su propia soledad, el vértigo y el temblor que tiene un alma sola, a solas con Dios, descubriendo en él una plenitud insospechada. Y al descubrirlo… se enamorará de él y por él vivirá.

JUAN.– Nunca podré agradecer, Madre, toda esta complicidad hacia mi persona. Bellas son sus palabras, son como rosas encarnadas, rosas que nos adornan la vista pero que guardan bajo su vientre todo un ejército de espinas, dispuesto a defender a la reina de la hermosura.

TERESA.– (*Se separan.*) Pero solo son palabras, los hechos son los que mueven montañas, debemos permanecer juntos.

JUAN.– Ese es mi deseo, Vuestra Reverencia. Me encomiendo a Dios para que todo salga bien.

TERESA.– Pero al mismo tiempo que encomendamos el asunto a Dios, también hemos de valernos de nuestros amigos.

JUAN.– Bien sabe, Madre, que en ocasiones como esta es cuando los amigos se cuentan con los dedos de una mano.

TERESA.– No desespere: Su Majestad Don Felipe está con nosotros. Nunca olvidaré los cinco años que pasé junto a trece hermanas en el convento de San José. No solo compartíamos la oración sino que también compartíamos los trabajos humildes. Era su Divina Majestad quien nos enviaba lo necesario para vivir sin que tuviésemos necesidad de pedirlo

JUAN.– Veo que tiene los cabos muy atados.

TERESA.– Así es, desde que me obligaron a apartarme a esta celda y me prohibieron continuar con las fundaciones no hago más que rezar mis oraciones y pensar cómo arreglar esta situación tan angustiosa. Las enfermedades no me han privado de mi fuerza interior y dentro de mi alma hay una voz que me incita hacia la batalla. Una batalla que, con ayuda del Señor, confío en que águilas y mariposas triunfen y se alcen con la victoria sobre las aves nocturnas.

JUAN.– Esperemos, pues, a los albores del día.

TERESA.– Saldremos de esta, Padre.

JUAN.– Estoy seguro de ello.

TERESA.– Peores momentos hemos pasado.

JUAN.– Sin duda, no debemos dar signos de flaqueza ante las adversidades. Dios nos asiste. Pienso que es una prueba y que tras ella nos llegará una etapa de inundación de luz y amor divinos.

TERESA.– El miedo ya no es compañero de celda.

JUAN.– El miedo nunca ha de apoderarse de nuestras almas; como ya le he dicho, aguardemos a la mañana y no adelantemos acontecimientos inciertos.

TERESA.– Esperemos. Pero antes me gustaría pedir un favor a Vuestra Paternidad.

JUAN.– (*Con expresión de asombro.*) A sus pies, Madre, pida lo que le sea menester. Soy su más fiel y humilde servidor.

TERESA.– El futuro es incierto y por eso me placería una última confesión (*Se arrodilla ante JUAN.*)

JUAN.– Por supuesto, Vuestra Reverencia. Pero no diga la última y dejemos una puerta abierta a la esperanza (*Le pone la mano en la cabeza.*)

TERESA.– Soy toda vuestra. Siento que mi alma no estará tranquila si no me acerco a Dios, aunque sea en esta sombría noche. Quisiera tener licencia para decir las muchas veces que en este tiempo falté a Dios

JUAN.– Así sea. ¡Ave María Purísima!

TERESA.– Sin pecado concebida.

JUAN.– Jesús dijo, «Como me envió mi Padre, así le envío yo. Reciba el Espíritu Santo: a quien les perdone los pecados les serán perdonados». Hable libremente.

TERESA.– Va pasando el tiempo y aún recuerdo en mis años mozos, algunos ligeros devaneos, libros de caballerías, los cuales no dejaron enfriar mis buenos deseos y me hicieron caer insensiblemente en otras faltas, amistades frívolas, veleidades fugaces, sueños; pero el convento de Santa María de Gracia al acogerme me consolidó mi virtud y formación. He pecado de ambiciosa, marché por caminos y ciudades, fundando monasterios incluso reformando los ya existentes. He viajado incansable por tierras españolas, persiguiendo un altísimo ideal de fundaciones. No me han detenido ni los achaques de mujer madura, ni las nieves del invierno castellano, ni los calores del estío andaluz. Durante mucho tiempo he descuidado la oración mental, debido a mi relación con las personas. El demonio, bajo su capa de humildad, contribuyó a que mi vida disipada fuera indigna de conversar familiarmente con Dios. Cuántas veces me han acusado de ser víctima de los engaños del demonio.

JUAN.– Eso no es pecado, Madre. No son más que acusaciones.

TERESA.– Acusaciones sí. Pero acusaciones que me alejaban y me distraían del verdadero camino. Me delataron de hipocresía y presunción. Pero mi único pecado era despegarme de las cosas del mundo y encenderme en el deseo de poseer a Dios. Anhelo morir pronto para unirme al Creador. La única razón que encuentro para vivir es sufrir y eso es lo único que pido para mí. He sido insolente con mujeres que se me han acercado para ingresar en la Orden exigiendo numerosas dispensas de la regla y que querían conservar su hacer cotidiano, algo que no podía permitir.

JUAN.– Noto en su declaración una llama de rencor.

TERESA.– En efecto, me arrepiento de mi arrojo de ira hacia doña Ana de Mendoza de la Cerda.

JUAN.– ¿La Princesa de Éboli?

TERESA.– No pude evitar la tentación, Vuestra Paternidad: su deseo de convertirse en religiosa siguiendo un estilo de vida desapegado a la norma de la Orden encendió la llama de la ira en mi corazón y fue ella la culpable de que mi libro esté ahora en manos de la Inquisición… Pero hay algo que me doblega en mi interior y que me impide conciliar el sueño.

JUAN.– Para Dios todo es perdonable.

TERESA.– La tentación ha sido fuerte pero me arrepiento y le pido a Dios que me pueda comprender.

JUAN.– Vamos, mujer, no será tan grave.

TERESA.– Para mí sí lo es. Caí en la trampa de la adoración hacia una persona, me dejé llevar por los pensamientos humanos y casi me olvido de mis deberes y de quien realmente soy. Era una persona culta, atractiva, que encandilaba con su presencia y con su buen hacer, hombre de alta cuna que casi consigue que escapara a la sinrazón.

JUAN.– ¿Quiere Vuestra Merced decir quién era esa persona?

TERESA.– No me importa que lo sepa; ahora que estoy arrepentida y que las aguas han vuelto a su cauce, no tengo intención de ocultárselo, Padre, porque Dios con su gran sabiduría sabe perfectamente a quién me refiero. Es… el padre fray Gerónimo Gracián, una de las almas más ejercitadas, de las más labradas y de las más atribuladas que ha habido en la Iglesia de Dios. Hay cartas que me implican porque no puse cuidado en escribirlas. Pero el padre fray Gerónimo Gracián, entregado al gobierno y bien de las almas, no se acordaba en responder.

JUAN.– Es entendible su determinación.

TERESA.– Me determiné a hacer entendiendo era voluntad del Señor, y seguir aquel paso a todo lo que viviese, lo que jamás había hecho con nadie, habiendo tratado con hartas personas de grandes letras y santidad y que miraban por mi alma con gran cuidado.

JUAN.– ¿Algo más?

TERESA.– (*Hace una pausa como si quisiera decir algo pero no lo dice.*) Bueno… Nada más, padre, solo pido al Señor que mis pecados puedan ser perdonados.

JUAN.– No hay pecado, por grande que sea, que no pueda ser perdonado si se acerca a la misericordia de Dios con el corazón arrepentido. La oración y el recogimiento lavarán sus culpas. ¡Yo absuelvo sus pecados en el nombre del Padre, del Hijo y del Espíritu Santo! (*Hace la señal de la cruz con la mano.*) Puede levantarse Vuestra Reverencia.

TERESA.– (*Se pone en pie.*) Gracias, no hay consuelo en mi alma en estos cálidos momentos dentro de esta fría noche.

JUAN.– (*Se agarran de las dos manos y se miran frente a frente.*) Consuélese conmigo, que más solo y aterrado estoy yo por acá, que después que me tragó aquella ballena y me vomitó en este extraño puerto, nunca más merecí verla, ni a los santos de por allá. Dios lo hizo bien, pues, en fin, es lima el desamparo y para gran luz el padecer tinieblas

TERESA.–Cuánto me alegra el alma el estar aquí esta noche junto a Vuestra Patermidad.

JUAN.– Lástima que las circunstancias no sean otras.

TERESA.– En estos momentos es cuando la verdad se descubre ante nuestros ojos. Y todas nuestras acciones, empujadas por el miedo, responden con plena y libre naturalidad.

JUAN.– No podría haber caído en mejor lugar, y en mejor compañía. En esta morada me siento seguro.

TERESA.– (*Se suelta de las manos y deja de mirarle a la cara.*) Verdad es que no en todas las moradas podréis entrar con vuestras fuerzas si no os mete el mismo Señor del castillo.

JUAN.– ¿Y yo, cree Vuestra Merced que tengo la venia de ese a quien llamáis Señor del castillo?

TERESA.– Guárdese de ello, Padre Juan, pues ha demostrado con creces estar a la altura de poder ingresar en esta morada para gozar de este castillo y en ella hallar descanso.

JUAN.– Temo que no hay tiempo para el descanso. Pronto amanecerá y los que me persiguen supongo que no cejarán en su empeño, debemos actuar rápidamente y aprovechar las primeras luces del día para salir de Ávila (*Coge a TERESA de una mano.*) ¡Vayámonos ahora!

TERESA.– (*Le coge la mano con un gesto de ternura.*) Mi pequeño Séneca. No puedo abandonar esta celda. Huya solo. Se lo suplico.

JUAN.– Pero… yo quiero que Vuestra Reverencia venga conmigo.

TERESA.– Eso es imposible: mi deber es quedarme en el convento, como así me lo han ordenado y esperar el devenir de los acontecimientos. Hemos de tomar decisiones duras en esta partida y mi sitio está aquí. Desde esta celda estaré informada de todos los movimientos del nuncio mientras Vuestra Reverencia va a pedir ayuda a don Felipe.

JUAN.– ¿Cómo podré acercarme a Su Majestad? Si conseguir una audiencia ya es harto difícil, imagine Vuestra Merced en mi situación. Huido de la justicia.

TERESA.– Por el camino tenemos fieles seguidores de nuestra Orden que no dudarán en ayudarle y en ofrecerle cobijo en su camino hacia la corte. Camine de noche y descanse de día si fuera necesario. Por mi parte ahora mismo voy a escribir una carta a su Majestad para recomendarle y que interceda por vos. (*Se suelta de la mano y se dirige al arcón en donde descansa una pluma y unos papeles.*) Por cierto (*Se da la vuelta y mira a JUAN.*), se me olvidaba decirle que don Felipe se encuentra estos días en su nuevo palacio de El Escorial, supervisando las obras personalmente.

JUAN.– He oído hablar del esplendor del nuevo palacio. El Rey no ha escatimado medios, ni riquezas para su construcción

TERESA.– Esa es la verdadera perdición. El mundo no necesita templos de oro ni ostentaciones de riqueza alguna. La ambición de unos pocos será la perdición de la mayoría. El dinero y el poder solo conllevan odio y guerras. No nos apremia la opulencia sino la verdadera riqueza de espíritu. Recuerde los principios básicos de nuestra Orden, la nueva regla elimina las concesiones hechas al mundo y retorna a la vida centrada en Dios con toda sencillez y pobreza como la de los primeros eremitas del monte Carmelo.

JUAN.– Vivimos en un mundo de apariencias.

TERESA.– Pero eso no nos apartará de nuestro camino: al final nosotros mismos seremos los jueces de nuestro destino con nuestras propias acciones (*Se da la vuelta y se dirige al arcón donde coge un papel y la pluma, se sienta en el suelo y comienza a escribir.*) Estas letras abrirán las puertas de palacio.

Se oyen pasos y voces en el exterior. JUAN y TERESA se dan cuenta de ello; en seguida se escuchan unos fuertes golpes en la puerta.

JUAN.– Madre, temo sean ellos.

TERESA.– Ellos son a mi entender; si no, ¿quién iba a perturbar esta humilde celda a aquestas horas de la noche? (*Insisten con golpes en la puerta.*) ¿Quién llama?

FRAILE.– (*Desde fuera.*) ¡Abrid en nombre del provincial de Castilla!

JUAN.– ¡Perdido estoy!

TERESA.– Confíe en el Señor (*Hacia la puerta.*) Pasen Vuestras Mercedes, pues no es menester echar cerrojo en la habitación de una humilde sierva de Dios (*Entran un FRAILE y dos HOMBRES ARMADOS.*) ¿Quiénes sois?

FRAILE.– Orden del provincial de Castilla. ¿Está aquí don Juan de Yepes?

JUAN.– Yo soy.

FRAILE.– ¿Don Juan de Yepes? ¿Quien se hace llamar padre fray Juan de la Cruz?

JUAN.– Su servidor.

FRAILE.– Debe acompañarnos.

TERESA.– ¿De qué se le acusa?

FRAILE.– Vengo a hacer una cosa que en mi rostro verá que contra mi voluntad la hago. Se le acusa de apostasía. Lo siento, Vuestra Paternidad (*Mirando a JUAN.*)

TERESA.– Está bajo la casa de Dios y no pueden ultrajarle de tal forma.

FRAILE.– Debo cumplir con mi deber y tengo órdenes estrictas.

JUAN.– (*Mirando a TERESA.*) Madre…

TERESA.– Padre Juan… (*Le mira a los ojos y baja la cabeza sabiendo que no puede hacer nada.*)

FRAILE.– ¡Prendedle!

Los dos HOMBRES ARMADOS se abalanzan hacia JUAN y le cogen de un brazo cada uno de tal forma que en el forcejeo se descubre una larga cabellera que, junto con los dos brazos amarrados en forma de cruz, da una imagen viva de Jesucristo.

TERESA.– (*Con cara de asombro ante la figura de JUAN.*) ¡Mire yo a mi Amado y mi Amado a mí, mire él por mis cosas y yo por las suyas!

JUAN.– ¡Madre! ¿Volveremos a vernos? (*TERESA se echa las manos a la cara y rompe a llorar.*)

FRAILE.– ¡Llévenselo, aprisa! (*Los HOMBRES ARMADOS salen de la escena llevándose a JUAN mientras este no deja de mirar a TERESA.*) La deuda está saldada (*Le da un libro.*) Con Dios, Vuestra Maternidad (*Sale haciendo una reverencia.*)

TERESA.– (*Llorando mira hacia la puerta por donde se han llevado a JUAN.*) ¡Tuviere por mejor que estuviera entre moros, porque quizás tuvieran más piedad. Y este fraile tan siervo de Dios, está tan flaco de lo mucho que ha padecido que temo por su vida. ¡Oh, caprichosa justicia, que ante la oscuridad de tus ojos arrollas al débil y evitas al poderoso! Señor, ¿no es tu deber ambicionar la justicia para todos? Los caminos de los hombres no siempre son justos, caminan como corderos asustados mientras los lobos se pasean sin miedo por los bosques de la naturaleza humana. Solo pido Justicia para todos y justicia para este Fraile abocado a un futuro incierto.

Poco a poco deja de llorar, se acerca al camastro y se sienta; afligida y compungida, mira hacia el arcón y tras una pausa se levanta y camina hacia él, tira la pluma y los papeles que hay encima con rabia y lo abre. Del arcón saca unas correas. Se acerca hacia donde se encuentra el crucifijo y se arrodilla ante él de espaldas al público. Se quita la parte superior del hábito y aparece su desnuda espalda cubierta de cicatrices. Comienza a flagelarse.

Baja el tono de la luz y poco a poco un haz luminoso, como si fuera un amanecer, ilumina el crucifijo.

Fuera se escucha cantar el gallo hasta tres veces.

TERESA.– ¡Ya no necesito hombre que me confiese!

TERESA cae al suelo. De nuevo un haz de luz es dirigido a TERESA tendida en el escenario, quedando ella y el crucifijo iluminados. Mientras se escucha una voz en OFF.

OFF.– Juan de la Cruz fue llevado a Toledo y juzgado ante un tribunal de carmelitas. Dado que rehusara abandonar la reforma, le encerraron en una estrecha y oscura celda y le maltrataron brutalmente. En ese lugar escribió una significativa parte de su obra, hasta que nueve meses después consiguió escapar de una forma aún inexplicable. Su vida a partir de ese momento no fue un camino de rosas. Los problemas internos de la orden hicieron que fray Juan fuera despojado de todos sus cargos. Y así, repudiado en parte por los suyos, cayó enfermo y fue enviado a Úbeda. La fatiga del viaje empeoró su estado y, después de tres meses de muy agudos sufrimientos debidos a una gangrena en su pierna derecha, falleció el 14 de diciembre de 1591.

Teresa de Jesús nunca fue juzgada por la Santa Inquisición, sin embargo Dios había reservado para los últimos años de vida de su sierva duras pruebas y no pocos sufrimientos a causa de su delicada salud. Su última fundación fue la del convento de Burgos, en donde no escasearon las dificultades. Llegó a ser expulsada de los conventos de Valladolid y Medina del Campo siendo tildada por los propios miembros de su Orden como «fémina inquieta y andariega», y así fue como la Santa terminó sus días en Alba de Tormes, donde fallecería, tras no pocos sufrimientos, en brazos de Ana de Jesús, a las 9 de la noche del 4 de octubre de 1582, fecha en la que el calendario juliano fue sustituido por el calendario gregoriano en España, por lo que ese día pasó a ser 15 de octubre.

Después de la noche del 3 al 4 de diciembre de 1577, nunca más volvieron a verse.

Incluso la historia niega que esa noche estuvieran juntos, lo cual bien pudiera no haber sido más que fruto de la imaginación de unos humildes comediantes.

Se apaga la luz. Cae el telón.

F I N